Aka Akasaka

28

카구야 님은 고백받고 싶어

~천재들의 연애 두뇌전~

카구야 님은 고백받고 싶어 28

~천재들의 연애 두뇌전~

contents

뭐어?!

나 괜찮거든!

제272화

그런 쓸데없는 걱정은 필요 없다고!

자기가 엄마인 줄 아나? 징그러워서 토 나와!

죽어!
삑

3

하여간….

언제까지
애 취급만
할 거야….

제272화
시로가네 케이의 최종회

미유키가 해 준
밥이 그리워….

뭐…?
내가 한 요리가
그렇게 싫어?
그 입에서
요리라는 단어가
나온다고?

반값 딱지 붙은,
사 온 반찬을 용기째
늘어놓기만 하는 게
요리냐?
반값
350
밥은
했잖아!

그렇게 불만이면 배달시켜 먹으면 되잖아!

아님 직접 하든가!!

반찬 투정을 하려는 게 아니라 그냥 그립다는 거야, 아빠는….
훌쩍
훌쩍…
셋이서 식탁에 둘러앉아 먹던 그 시절로 돌아가고 싶어.
아— 진짜 짜증나게!

6

부르르
시로가네 케이는 반항기다.

유전자 오류를
일으키지 않으려는
본능적인
시스템인 동시에
그것은
신체적으로
성장한 아이가
LINE
엄마
일요일에 같이 밥 먹을래?
인간이 어른이
되기 위한
프로세스다.
…….
엄마.

BISTRO DIEGO

그쪽은 어때?

잘 지내니?

응….
뭐,
그럭저럭?

그렇다면 됐지만.
결과적으로 너희가 행복하기만 하면 엄마는 괜찮아.

그게 내 행복이기도 하니까.

엄마는 언제나 자기 생각만 하네.
당연하지?
아무리 부정해 봐야 인간은 결국 자기가 행복하면 그만인 생물 아니야?

그래도 인간은
정이라는 게 있는
생물이기도 하니까

너희들이
행복하지 않은 건
나도 싫어.

시로가네의
어머니는
리얼리스트
이자

에고이스트
였다.

어머니가
말하는
사랑은
애정을
총량으로 산출하는
이해관계를
뜻하기도 한다.
결국 각자가
가장 행복한 게
이상적인 거야.
상호 관계에 의한
행복은
의존에 가까우니까.

10

그것은
아이들의
인격 형상에
크나큰
영향을 가져왔고

하지만
…

이런 걸
누구한테
의논도
못하고…

마음에
벅찬 게
많았군…

미유키와
케이는
어느새
무조건적인
애정을
믿지 못하게
되어 있었다.

케이….

나랑 같이
상하이로 가자.
응?
그쪽에
연줄이 생겨서
슈치인보다
좋은 환경을
마련해 줄 수
있을 것 같아.
네 장래를
생각하면
그게 더
합리적이야.
케이에게
있어
어머니는
강대했다.

어머니의 예상이 빗나가는 것을
케이는 본 적이 없었다.
아버지의 회사 경영이 궤도에 오를 수 있었던 것은
어머니의 수완이 역할이 컸고,
경영이 악화된 것도
어머니의 판단을 따르지 않았기 때문이었다.
압류 예고 통지
직원을 정리하라는 어머니의 판단을
아버지가 따르지 않았기에….

네가 한번
나를 떠나 아빠와 오빠에게 도망친 이유도 이해는 해.
사춘기인 네게 스트레스가 높은 환경이었다는 건 사실이니까.
하지만 너희 아빠와는 오래전에 헤어졌고
네가 자립할 때까지 그런 상대는 만들지 않겠다고 약속할 수 있어.
장래를 생각한다면….
안 가.
나는 엄마랑 같이 안 갈 거야.

그 사람도 요즘 스트리밍이 잘돼서 형편이 나아진 모양이구나.

…….

용돈도 원하는 만큼….

그래서가 아니야.

엄마는 지금 그 말을

이미 훨씬 전에

오빠랑 했어야 했어.

아이를 둘이나 데리고서는 업무 성과를 낼 수 없었어.
그러니까 한 사람씩 맡는 게 가장 효율적이었고.

성별이 같은 게 뭘 하더라도 편리….
아무리 그래도!

오빠는 그간 쭉 선택받지 못했다고 낙담해 왔단 말이야.

하지만
그 덕분에 미유키의 성적은 비약적으로 올랐잖니?

미유키는 궁지에 몰려야 성장하는 성격이니까
필요한 스트레스라고 생각했는데.

엄마.
....

우린 더 어리석어도 괜찮았어.

우리에게 필요한 건
엄마… 왜 가 버리는 거야?
학력도
장래도 아니었어.
무가치

우리가 원했던 건

그냥 평범한 어머니의 애정이었어.

…….
잘 전달되지 않나 보구나.
나는 너희를 사랑하는데.

내가 어른이 되면
또 같이 밥 먹자.

그때는
분명
지금보다는
맞는 눈높이로
이야기할 수
있을 테니까….

웅—
웅—

왜?

아—

그,
뭐냐?

21:13

망할 오빠

전화 오는 중

엄마는
잘 지내?

엉!.

어떻게
알았어?

엄마 인스타에 시나가와 사진이 올라왔고
왜 다들 알아주지 않을까… 아마 내가 잘못한 거겠지?
좀처럼 잘 되질 않네 미안해… 둘 다 사랑한다…
스토리에 우울한 얘기만 잔뜩 떠 있길래 걱정이 돼서….
엄마 인스타 눈팅하지 마!
되게 음침해 보인다고!

너 괜찮냐,
케이?

19

…흥.
나도 이제 내 일은 스스로 결정할 수 있어!
일일이 엄마 행세하려 들지 마, 짜증 나니까!
끊는다!!
삑
윽.

하여간…
언제까지 애 취급만 할 건지….
그리하여 시로가네 케이의 이야기는 끝나고…

반항기는
조금 더 이어진다.
그깟 일로 일일이 걱정하지 말라니까, 이 바보 오빠야!

시로가네 케이

시로가네 케이

- ◆슈치인 학원 중등부 3학년
- ◆학생회…회계
- ◆신체적 특징…몸이 유연하다
- ◆끝나 가는 반항기

시로가네 집안 가정 교육의 산물인지,
아니면 개성 강한 부모님을 반면교사로 삼은 결과인지,
시로가네 남매는 스스로 자기 길을 선택할 수 있는 강한 정신력을 얻었다.

일찍이 아버지와 오빠를 버린 어머니를 따라가
그 밑에서 금전적으로 풍족한 환경에서 자랐다.
그러나 어머니에게 교제 상대가 생기고
'어머니의 남자친구'와 함께 살기 시작하며
갖은 스트레스에 시달리게 된다.
어머니의 남자친구가 나쁜 사람은 아니었지만
어머니에게는 연인이어도
자신에게는 완전한 남이며, 이성이다.
사춘기에 접어든 케이는 그 환경에 적응하지 못했다.
예전부터 갖고 있던 아버지와 오빠에 대한 죄책감.
그리고 어머니의 방침에 공감할 수 없어 괴로워한 끝에,
케이는 자기 뜻으로
아버지와 오빠에게 돌아가기로 결의한다.
그러나 동시에 그로 인해 깊은 상처를 입은
어머니의 약함 역시 알게 되어 딜레마에 빠진다.
그 스트레스를 오빠에게 풀며
정신적인 안정을 유지하고 있었지만
오빠가 미국으로 떠난 후 화살 끝은 아버지에게로 향해,
아버지는 전전긍긍한다.

한편 시로가네 아버지의 스트리밍 활동은 순조롭게 풀려 빚도 갚아 나갔고
그 기쁨에 취해 고급차를 샀다가 케이에게 호되게 야단을 맞는다.

아버지의 활동에 영향을 받아 틱톡을 시작하자 팔로워가 금방금방 늘고
최근에는 대형 화장품 회사에서 광고 요청를 받아 그 광고 금액에 전율하는 중.

시노미야 카구야를 존경하는데, 그 계기는 시로가네가 1학년이었을 무렵이다.
그 이야기는 언젠가 따로 할 날이 올 것이다.

카구야 님은 고백받고 싶어
~천재들의 연애 두뇌전~

8월.
나도 이번 여름을 보내며 마음을 정리했어.
다음 사랑을 찾아내서
지금의 사랑 같은 건 덮어쓰기로 저장해 버릴 생각이야.
굉장해…!
제273화
제 경우와는 다르게
어릴 때부터 쭉 좋아했다 면서요…!
병실에도 언제나 찾아와 주고
쭉 상냥하게 대해 주던 사람을…
드디어 털어 버린 거군요!

으아아
아아아
아아앙!
그걸 어떻게
털어 버려—??
그럴 줄
알았지.

제273화
시죠 마키와 카시와기 나기사와 타누마 츠바사의 최종회
전편

뭐, 이해는 가요.
좋아했던 사람을 마음에서 털어 내기란 간단하지 않으니….
저도 츠바메 선배를 단념하려고 얼마나 노력했는지….
노력했다니, 어떤 식으로?
뭐가 됐든 떠올리지 않으려고 했죠.
츠바메 선배가 떠오를 만한 물건은 모두 처분하고
다른 여자에게 눈을 돌리기도 하고?
추억BOX
덕분에 지금은 마음이 평온하네요….
그럼 이제 완전히 정리한 거야?
그야, 뭐.
흠— 대단한데.
…아.

그러고 보니
차바메 선배,
남자친구
생겼다더라?

——뭐요?
??
?!
?!
뻥이야.

그런 고약한 거짓말은 하지 말아 주실래요?!
심장 멎는 줄 알았잖아요!!
다 정리 했다길래….
하나도 정리 안 됐잖아.
그야 완전히는 무리죠!
이런 건 시간이 해결해 주기를 기다리는 수밖에 없잖아요!!
이래 봬도 많이 나아진 편이라고요….
차인 그날에 그런 농담을 날렸다간 학생회실이 분쇄 됐을 거예요…!
미안, 미안.
왜 그렇게 심한 짓을 하는 거예요….
가끔은 나도 받아쳐 볼 수 있잖아.
…….
27

뭐,

지금은 괴롭겠지만

이런 일도 언젠가는

청춘의 한 페이지가 되는 거겠지.

시끄러워! 그 내려다 보는 시선 집어 치워!!

어어?!

자기는 여자친구랑 잘 되어 간다 이거지~~?

안전지대에서 불쌍한 거 보듯이 보면 재미있어요?

당장 가서 할머님을 차고 난 뒤에나 껴들어! 이 바보야!

같은 괴로움을 짊어져 보면 알아요!

그런 말까지 들을 일인가…?

너는 좋겠어….
매주 할머님이 가서 방도 치워 주고 그런다며?

아무리 그래도 매주는 아니야.
서로 바빠서 타이밍이 안 맞을 때도 있고….

뭐,
원래 장거리 연애가
그런 거야.
국경을 넘어가며
주말부부 노릇이라니,
진짜 용하기도 하지.
바보,
바보,
바보라니까.

그래도
츠바사 선배가
해외에 가면
선배도 똑같이
할 것 같은데요.
무슨 소릴
하는 거니?
내가
그런 짓을…

하고도
남지!!

바보,
바보,
바보,
아닌가요?

하지만…

나도 이제
적당히 해야지.

제대로 정리하고
말 거야.

계속
이런 상태면
나기사한테도
미안하고.

정말 그래도
되겠어요?

츠바사랑 헤어지길
기다리긴 했지만
그럴 낌새는
1밀리도 없잖아.

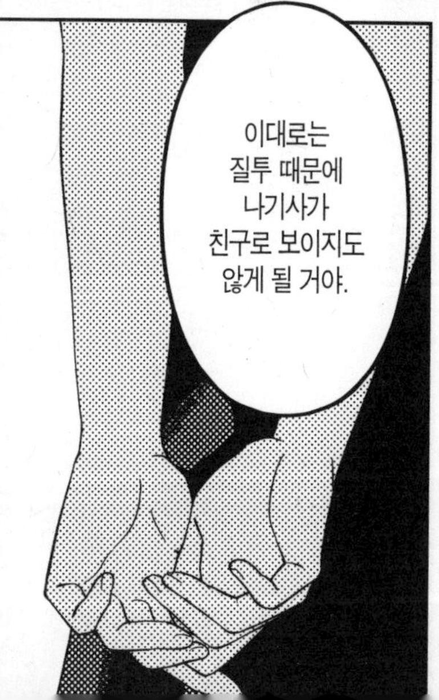
이대로는
질투 때문에
나기사가
친구로 보이지도
않게 될 거야.

이 이야기는
너희
둘한테밖에
안 했으니까…
무조건
비밀 지키는 거다,
알지?

내가 츠바사를
좋아한다는 건
죽을 때까지
나기사한테
비밀로
하고 싶어.

되돌아 보면
츠바사를 마음에 두기 시작한 것도…
마키랑 친하게 지내는 모습을 봤기 때문이었어.
매사가 엄격한 마키한테 상냥히 대해 주는 걸 보고
다정한 사람이라고 생각했고
처음부터 호감도가 높았어.

그래서
고백 받았을 때
무심코
OK해 버렸는데,
쾅
하지만 그게
실수였던 걸까?
마키가 츠바사를
좋아하는 줄은
몰랐어.
마키가
남자를 좋아한다는 건
상상도 못 했으니까.
결과적
으로
나는 마키한테서
츠바사를
빼앗은 거네….
카구야는 그거
알고 있었어…?

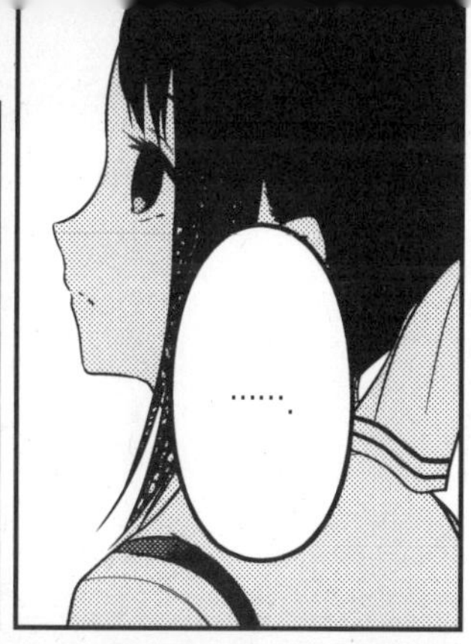
…….

뭐,
어렴풋이는….

왜 말해 주지 않았어?

알았으면…
마키 앞에서 츠바사와 만나지는 않았을 거야.

마키는…
나와 츠바사 사이를 응원해 주는 줄만 알았으니까.

나는….

저는
다른 사람의
연애에
참견할 생각은
없어요.

카시와기 양도
마키 양도…

저에게는
친구고,

어느 쪽 편을 들어도 관계가 틀어지죠.

애초에 저는 자세한 사정을 모르기도 하고,

어렴풋이 추측하는 정도라서….

그게 언제부터였어?
7년쯤 전이었을까요.
마키 양이 타누마 쪽 병원에 입원하던 시기였으니까.

당신과 마키 양이 알기 전의 일이에요.
그렇게 오래전부터…
였구나….

제 눈으로 보기에
시죠 마키는
질려 버릴 정도로 일편단심이었어요.

…….

그건 딱히 알고 싶지 않았는데….
좀 전에는 왜 말해 주지 않았냐며 원망하는 조로 말했으면서?

38

정말 마키 양이 견디기 힘들었다면 두 사람에게서 거리를 뒀을 거예요.
하지만 그렇게 하지는 않았잖아요?

시죠 마키는
어리석지 않아요.
지금의 상황도
본인이 선택한
길이라면…
나는
마키 양의
의사를
존중할 뿐이죠.
카시와기 양의
의사는 어때요?
그걸
알아 버린
지금…
어떻게 하고
싶은가요?
39

…….

나는….

카시와기
나기사와
타누마
츠바사가
헤어졌다는
소문이 돌기
시작한 것은

그로부터
얼마 지나지
않아서였다.

카시와기
나기사

카시와기 나기사

◆슈치인 학원 고등부 3학년
◆자원봉사부…전 부장
◆신체적 특징…어른

대형 조선 회사 회장의 딸이며
경제단체연합회 이사의 손녀인 일류 영애.

프라이드가 높아, 츠바사를 신랄하게 대하고 있었지만
최근에는 그의 상냥함이 당연한 것이 아니라
여느 사람과는 상당히 다른 것임을 깨닫기 시작했다.

그와 동시에 자신의 히스테릭함을 자각하기 시작해,
자기 성찰을 하는 모습도 갖추게 되었다.

카시와기 나기사는
집안의 요청으로 시노미야 카구야에게 접근했다.
본래라면 시노미야 카구야가 가장 혐오할 만한 인간이다.

그러나 카시와기 나기사가 시노미야 카구야에게
강한 우정을 느끼게 된 것 또한 사실이다.
카구야 탈환 작전 때는 그늘에서 지원을 하기도 했으며,
그 지원이 없었으면 결과도 달라졌을지 모른다.
계기가 무엇이든 카구야와 카시와기는 서로 닮은 부분이 있으며
지금은 부정할 수 없는 친구 사이이다.

시죠 마키에 대한 감정은 훨씬 무겁다.
아마 평생 무거울 것이다. 츠바사에 대한 감정보다 더.
그것은 자기 의사가 약한 것에서 기인하는 것이었지만
그녀 역시 점차 달라질 것이다.
시노미야 카구야가 그러했던 것처럼.

카구야 님은 고백받고 싶어
~천재들의 연애 두뇌전~

카시와기
나기사는
시죠 마키를
동경했다.
제274화
시죠 마키와 카시와기 나기사와 타누마 츠바사의 최종회 후편
지혜롭고
강하고
또 상냥한
그녀를
쭉 동경해 왔다.
그녀처럼
되고
싶어서
그녀를
뒤따르고
그녀를
따라하고
그녀가
좋아하는
대상에
관심을
가지고….

좋아하는
사람에 대한
동경이
좋아하는 사람을
상처 입히는
결과로
이어졌음을
알아차릴 만큼.
아무리 그래도
평범한
고등학생일 뿐인
그녀는
인생 경험이
풍부하지
않았다.
미안해,
마키.
츠바사는
돌려줄게.
이러면
되겠지…?

빼애애애애
빼애애애

응? 이건 또 무슨 일이죠?
여자친구분에게 차였대.
어, 진짜?!

걱정 마요, 선배!
털어 버리고 다음 스텝으로 넘어가자고요!!
일단 위로라도 해 줘!!

시죠 선배…!
드디어 기회가 왔잖아요!
상처 입은 남자의 허전한 마음을 파고드는 거예요!!
…….

할 수만 있다면
나도
그러고 싶어.
하지만.
요즘은
싸움도
덜 하길래
순조로운
흐름을 타는 줄
알았는데….

왜 그러는
걸까….

이걸
기뻐할 정도로…

나도
바보는
아니거든.

나기사!

이게 어떻게 된 거지?

어떻게라니, 뭐가?

츠바사를 찬 거 말이지, 뭐겠어!

어쩌자고
그런….
그냥…
연애 놀이는
이제 충분하다
싶어서.
연애를 동경했던
시기였다고 할까,
즐겁긴 했지만
난 그렇게까지
진심도 아니었던
거라고 할까.
츠바사는
이제 어떻게 되든
상관없어.
그러니까…

만약 츠바사가
마키랑
사귄다고 해도
상관없어.
…알았지?
……
나기사….
게 섰거라,
이 무지몽매
한 것!

어차피 어디서 들은 거지?
내가 츠바사를 좋아한다는 거…!
그래서 갑자기 그런 말을 하는 거잖아!
아니야?!
…….
아닌데….
거짓말 마!
우리가 몇 년을 친구로 지냈는데!
넌 거짓말 진짜 못하잖아!
뭔가 켕기는 일이 있을 때는 절대 눈을 못 맞추고!
윽….
그렇게 츠바사를 슬프게 만들다니,
이 바보…!

당장 츠바사한테 사과하고 화해하고 와!
싫어!
왜 내 마음을 몰라주는 거야!
마키는 나랑 츠바사가 같이 있으면 상처받잖아?!
마키랑 츠바사 둘 중 하나밖에 고를 수가 없는걸!
그럼 난 마키를 고를 거야!
그것 뿐이야!
이게 옳아!
이러면 다 해결돼!!
흐음?

그럼 내가 츠바사랑 진짜로 사귀어도 되는 거지?

……. 그래.
나는 때와 장소 안 가리고 막 티 낼 건데?

나기사 앞이든 뭐든 상관없이

쪽쪽 쪼오옥~~ 하고.

그래도 나기사는 내 옆에 있을 거야?

그래도 아무렇지 않을 거란 말이지?!

아무렇지 않을 리 없잖아!!

왜 그렇게 미운 소리를 해…?!
내가 츠바사와 헤어지면서 얼마나 울었는지 알아?!

결코 쉬운 선택이 아니었단 말이야!!
바보는 너잖아!

사귀는 남자를 친구에게 양보하는 바보가 세상에 어딨어!
여기 있잖아!
그러니까 그게 틀렸다고!
방법이 너무 극단적이야!

질투를 한다는 건
'좋아한다는 증거'라고 누가 그랬어.

이젠 진짜 좋아하잖아? 츠바사를.
그러니까 놓치지 말아야지.

하지만 우리가 계속 사귀면 마키랑 서먹해 질 거고….

헤어져도 서먹해!

설령 내가 츠바사와 사귄다 한들

상처받는 사람이 너로 바뀔 뿐이잖아.

액받이 무녀 같은 그런 짓은

내가 허락 못 해.

알겠어?

나기사.

너는 내 곁에서 보고 있어.

츠바사를
보기 좋게
털어 버리고
다음 연애로
향해 가는
그런 진취적인
내 모습을
지켜보라고!
시죠 마키를
얕보지 마.
그녀가
동경하던
소녀는
역시
강하고
지혜롭고
상냥하며,
자,
어서 츠바사한테
가 봐.

동경하던
소녀
그대로
였다.

…응.

…그래도
내가 제일 좋아하는 건 마키니까.
그건 굳이 말 안 해도 되고.

츠바사…

욱….
털썩
…나기사?
나기사
?!

3개월…
이래….
으아아 아아아앙!
유우, 허브티!
포트 째로 준비해 뒀어요.
마음껏 드세요.
이렇게 해서
카시와기 나기사와 타누마 츠바사와
시죠 마키의 이야기는 막을 내린다.

끼이…
그러나
그녀가
진짜 행복을
거머쥐는
이야기가
시작되는 것은
그리
멀지 않은
미래의
일이다.
너도냐,
손자야….
할아버지…!
그래도
난 기뻐요!
전부터 생각했지만
이 사람은
진짜 낙관적이야.

시죠 마키

시죠 마키

- ◆슈치인 학원 고등부 3학년
- ◆자원봉사부…전 부원
- ◆신체적 특징…미소녀
- ◆전 보너스 P의 주인

지금까지 오랫동안 상처입어 왔던 그녀도
가까스로 해방되게 되었다.

하지만 그것은 오랜 실연 시기라고 볼 수도 있으며
분명 그녀는 빠르게 다시 일어나 다음 길을 찾아낼 것이다.

츤데레 롤러코스터를 타며
감정에 기복을 보여 왔던 그녀였지만
안고 있는 것의 무거움이나 환경의 가혹함은
어쩌면 카구야 이상일지도 모른다.
하지만 그런 낌새를 보이지 않고
다른 사람들에게 한껏 상냥함을 보여 준 그녀라면
그 상냥함만큼이나 큰 행복을 거머쥐게 될 것이다.

하늘이 내린 천재인 남동생이 품은 어둠을 누구보다도 이해하며,
그럼에도 평범한 인간으로 대하기 위해,
같은 시선을 가진 가족이기 위해, 꾸준히 노력하며 갈고닦아 왔다.
누나에게 '바보' 라고 불렸기에 동생은 인간으로서 걸어갈 수 있었으리라.

그녀가 진학하는 곳은 본디 경제학부가 있는 국내 대학이었지만
다들 붙었으니까, 하며 내친 김에 넣어 본 스탠포드에 덜컥 합격.
졸업 후에는 시로가네와 같은 학교에 다니며,
그녀들의 이야기는 그곳에서 다시 시작될 것이다.

카구야 님은 고백받고 싶어
~천재들의 연애 두뇌전~

안녕하세요,
이상한
성을 가진
오사라기(大仏)
코바치입니다.

마침내
이날이 왔군요.

계절은
가을.

그래요.

학생회 선거
날입니다.

제275화
오사라기 코바치의 최종회

이번에도
미코에게 지원 연설을 부탁 받았습니다.
나를 의지해 주는 것은 기쁘지만
나여도 괜찮은 걸까 하는 마음은 있습니다.

미코와 크게 다툰 후
이시가미를 불행하게 하지 않겠다고 약속할 수 있어?
역시 조금은 서먹해졌고,
옛날과 달리
지금의 미코에게는 의지할 사람도 많이 있으니까….
시노미야 선배.
지원 연설, 저 대신 해 주실 수 없을까요?
나는 딱히 상관없지만….
잠깐만.

이이노가 오사라기를 선택 했잖아?
그러면 네가 하는 게 옳아.
하지만
나는 모두가 싫어하는걸.
지원 연설을 맡는 사람의 인기는 득표수로 직결돼.
미코는 지난번에도 부탁했으니까… 하는 괜한 의리에서 내게 맡긴 것 같아.
하지만 확실한 승리를 원한다면 시노미야 선배가….
이이노 미코는 이제 그렇게 허술한 녀석이 아니라니까.
하―.

이기기 위해 오사라기를 택했어.
네가 제일 잘 알고 있을 텐데?
오사라기,
너라면 괜찮아.
저도 그렇게 생각해요.
아, 맞다.
대항마를 소개하는 걸 깜박했군요.
상대편은 지원 연설로 거물을 데려왔습니다.

다음
학생회장에
입후보한
사람은
TG부 부장,
마키하라
코즈에.

그리고
지원 연설은
후지와라
선배입니다.

무슨 소리냐고
하는 사람도
많을 듯 하니
다시 한번
말할게요.
상대편의
지원 연설은
후지와라
선배입니다.

너무 거물이라서
잠시
눈이 이상해졌나
생각도 했지만
이래저래
사건, 사고가
많았던
저조차도
꽤나 깨더군요.

아니에요….
저는 싫다고 했는데 억지로….

그때 [패]을 뽑았다면 탕야오가 붙어서 이기는 건데!

내기 마작에서 진 모양입니다.

알고 있어요, 후지와라 선배.

저를 시험해 주시는 거죠?

위대한 학생회장의
뒤를 이을 자격이
있는 인간인지…
전 학생회로서
직접….
…….

…….

맞아!

절대
아님.

얼마나 성장했는지 보여 주기예요!
나의 시체를 넘어서 가요!
한수 배운다는 생각으로 가겠습니다!
이런 면은 전혀 달라지지 않았지만.

그럼 이이노 미코의 지원 연설을
오사라기 코바치에게 듣겠습니다.

코바.
잘해.

…….
응.

이이노 미코는 매우 진지하고
매우 곧은 성격을 가진 여자아이입니다.

욱…

그 진지함은 지도위원 활동을 통해 직접 봐 온 분들도 많지 않을까요?
진짜 지긋지긋할 정도로 말이죠.
푸핫
아하하하

이이노 미코는
정의를 사랑합니다.

자기 자신을
지키는
갑옷이었을지도
모릅니다.
하지만
그것은
상처받지
않기 위해,
틀리지
않기 위해,
올바르면
틀릴 일은 없다.
하지만
여기 있는
많은 사람들은
그것을
간과했던 것이
아닐까 합니다.
착한 아이로
지내기 위해
했던 행동.
그럼에도
유아적인
정의를 휘두르는
어린애라고.

이이노 미코는
성장하고
있습니다.

지난 1년 동안
여러 가지 일로
상처입고,
싸우기도
하고,
분위기가
최악
이었다!
빠릿!
빠릿!
아옹
아옹
다옹
다옹
이시가미
군과
미코가
싸우고
좀처럼
생각대로 일이
안 풀리기도
했죠.
학생회를
그만두려
하고
있었다!
표면상의
친구라.
참 절묘한
표현이네.

나는 어째서
학생회장이 되고 싶은 걸까 하고.
그때마다 미코는 고민하고,
교칙위반 이지만♥
심쿵
생각하며
앞으로 나아갔습니다.

지금의 이이노 미코는
다른 사람의 마음을 최우선으로 생각하고,

타인의 생각을 받아들이고,
다들 웃고 있네.
기쁜가 보다, 이시가미!
사람들의 웃음을 기뻐할 줄 아는

틀림없는…

학생회장의 그릇으로 성장했습니다!

그러게 내가 뭐랬어.

이이노의 성장을 가장 잘 알고

누구보다도 가까이서 지켜본 건

너잖아.

지원 연설에 가장 적합한 사람은 오사라기야.

이이노 미코에게 깨끗한 한 표를!

이어서
이이노 미코의 연설을 들으시겠습니다.

이미
그곳에

저는…
아니,

무대공포증
이었던
이이노 미코는
없었다.

우리는
성장하고
있습니다!

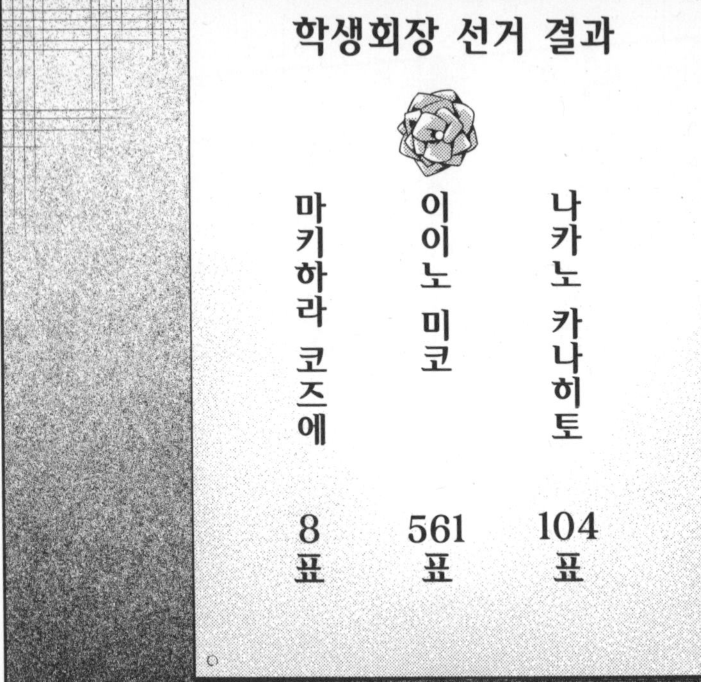
학생회장 선거 결과
나카노 카나히토
104 표
이이노 미코
561 표
마키하라 코즈에
8 표

TG부의 연설이 어땠는지는 딱히 이야기할 필요 없다고 생각하므로 생략합니다.
띵
구세주

코바…!

이렇게 해서
저의 이야기는
막을 내리고
미코…
잘됐다.
글썽…
정말
잘됐어…!

응…!

우리는
앞으로도
성장해
갈 것입니다.

오사라기 코바치

오사라기 코바치

- ◆슈치인 학원 고등부 2학년
- ◆지도위원…전 위원
- ◆신체적 조건…영 점프(연재 잡지) 사상 최고의 귀여움이라나 뭐라나
- ◆전직 아역 배우

부모님 모두 연예인이며 오사라기 코바치 역시
어린 시절에는 아역 배우로 연예계에서 활동했다.
그러나 학교라는 아이들만의 좁은 세계 속에서
연예인이나 가수 등은 종종 시달림을 받는다.
아이들에게는 자기 외의 인간이 '특별'하다는 것은 인정하기 어려운 일이다.
그 결과 오사라기는 아이들만의 세계에서 밀려나
어른의 세계에 자기 가치관을 두게 된다.
나이에 걸맞은 정서나 가치관을 버리고
어른들 세계의 어둠이나 부조리를 그 작은 몸에 받아들였다.

그렇게 해서 생겨난 것이 그녀다.
연애도, 애정도, 우정도, 친애도 모든 것이 찰나일 뿐이라 생각하며
그 무엇도 믿는 것이 두려운, 어른의 손에 망가진 한 아이.

그럼에도 이시가미 유우와 이이노 미코는
그녀에게 있어 믿을 수 있는 존재였다.

오사라기는 자기들 세 사람을 가리켜 미움받이 연합이라 불렀다.
의존하고 있었다.

하지만 성장해 가는 두 사람을 보고 뒤에 남겨지는 기분이 든다.
그리고 달라지기로 결심한다.

그 방식이 능숙하지는 않지만 달라지려는,
좋은 방향으로 다 같이 가자는 의지만은 있었다.
그녀 역시 18세의 소녀이며
학교라는 아이들만의 세계에 사는 사람이었다.

자기 가치관이라는 것을 갖게 되었을 때,
이이노 미코와의 관계가 무엇이었는지
분명 그녀는 깨달을 것이다.

카구야 님은 고백받고 싶어
~천재들의 연애 두뇌전~

제276화
꼬치구이

그것은
어?
앗짱,
오랜만—.
먼저 먹고
있었어요.
야호—
이시가미찌.
약간
미래의
이야기.

제276화
하야사카 아이의 최종회

뭐 마실래요?
음—
일단 하이볼부터.
오랜만에
일본에 오니
어때요?
역시
맘이 놓이네.
다다미
너무 좋아.
이번 여행은
꽤 길었던데요.
어디까지
갔었어요?
미대륙 서해안을
위쪽으로
쭈욱 돌았지.
파나마에서
멕시코,
네바다를 지나
알래스카까지.
굉장하다…

이시가미찌도 가면 되잖아.
물론 저도 앗짱만큼 부자면 세계 일주라도 하고 싶죠.
무엇보다 지금은 대학을 졸업할 수 있을지도 아슬아슬해서….
이러다 졸업 못 하면 회장을 만날 낯이 없거든요.
아, 그렇구나.
이시가미찌는 미유키네 회사에 다니지?
네.

나도 슬슬 한 곳에 뿌리내려서 취직을 해야지.
앗짱이라면 연줄도 있고 오라는 데는 많잖아요.
다들 잘 지내?
시노미야 관련 기업이라거나.
그것만큼은 절대 못 해.
하긴 그렇죠.
네.
시노미야 선배도 카메라 어시스턴트를 졸업하고 이런저런 촬영 의뢰를 맡게 된 모양인데,
카메라맨으로 먹고 살 수 있을 정도는 된다나….
호오.

인간을 믿을 수 없다는 둥…
혼자 살고 싶다고 늘 말하던 아이가,
설마 사람을 찍는 일을 하게 될 줄이야.
인생은 알다가도 모를 일이죠.
마키 선배는 시죠 그룹 증권 회사에 취직했고,
오사라기는 대학원에 진학하고,
타누마 부부는… 뭐, 여전하고요.
나기사 선배도 어린 마키를 키우며 용케 대학 졸업까지 해냈어요.
대단한 사람이죠.

설마 아들에게 친구와 똑같은 이름을 지어줄 줄은 꿈에도 몰랐지만.
정말 대단한 사람이야….
나도 처음 그 얘기 들었을 때 꽤 진지하게 기함했어.
이이노는 어때?
이이노는…
지금쯤 동아리 후배들을 쓰러뜨리며 웃고 있을 거예요.
걔는 술버릇이 최악이라.
아하하하하하하하하하하아하
아—.

성실한 애일수록
대학 데뷔의
반동이 크니까….
그런 유형의
동아리 파괴범도
있나 봐요….
이이노가
끼는 술자리를
못 견뎌서
동아리를
탈퇴하는 남자가
끊이지 않는다나요.
사이좋게
지내는 것 같아
다행이네.
저도 곤드레가 된
이이노한테
몇 번이나
불려갔는지….
나는 딱히
변한 게 없는데.
그리고
회장은….

여,
하야사카.
아,
젊은
사장님—.
그렇게
부르지
말라니까.
여기
적토마
물 섞어서
한 잔.
후지와라
는?
일단
부르긴 했지만
바쁜가 봐요.

그렇구나―.
다이치 씨가
재선하면 좋겠네.
우물
우물
조금 있으면
참의원 선거고,
부모님을 돕느라
각지를
뛰어다니는 것
같아요.
옛날처럼
안 되는 건
어쩔 수 없지.
다들
바쁘니까요.
모처럼
하야사카가
돌아왔는데
참 모이기
힘들다.
그럼
다시 한번,

건배.

와글
와글
와글
와글
와글

아— 맞아요, 그런 일이 있었지.

어, 그때 팔씨름은 나도 맘먹고 하진 않았어.

상대가 여자라서 힘을 좀 뺀 거지….

아니, 저도….

뭔가
여러 가지가
이루어졌네.
세계를
다니기도 하고,
시노미야 가를
그만두고,
응?
아니.

이렇게
남사친들과
술도 마시고.
뭐,
그리고 또
여러
가지로.
늦어서
미안해요.

으아,
벌써 한창 하고 있었네요.
죄송해요—. 동아리 송별회가 길어져서!
여기 14대 혼마루 보틀 하나랑
사람 수대로 잔 주세요!
그리고 곱창구이 모둠도 하나요!
으아, 고주망태가 또 왔네….
아—
남자들한테 둘러싸여 기분 내고 있던 참인데.

어머.
멋진 여자가
옆에 있는데
사치스런 소리는.
흥.
여전히
이 건방진
말버릇 봐라~~.
요요요.
술김에
시비 거는 건
자제해 줘요~.
역시
서기가
최고야—.
좀 안아
보자—.
네네,
얼마든지
마음대로 하세요.

그보다
우리 집에 놔둔
짐 때문에
골치 아픈데
얼른 와서
가져가요.
하지만
우리 집은
계약이 끝나
버렸는걸….
서기네서 조금만 더
신세지게 해 줘~.
또 그런다.
누가
이 커다란 아기 좀
데려가 주세요!
아윽~!!
선배
더 마셔요~♥
거절이에요.
후후후

그러고 보니 하야사카, 그 머리 오랜만에 본다.
정말이네.
학교 다닐 때 사이드 테일 스타일이었죠.
가끔은 동심으로 돌아가고 싶은 날도 있는 거지.
이해해요.
그 시절엔 진짜—
별 하찮은 일로도 매일 난리법석 이었잖아요.
아하하
즐거웠죠!
후후후
고생은 했지만~~.
하하하
와글
와글
와글
와글
뭐,
지금도 충분히 즐겁지만요.
와글
와글

그렇게 해서
하야사카 아이의 이야기는 막을 내릴 것이다.
언젠가
그녀의 작은 꿈이 이루어질 그때.

하야사카 아이

하야사카 아이

◆최종 학력…슈치인 학원 고등부
◆신체적 특징… 아일랜드인 쿼터
◆직업…현재 백수

슈치인 학원 졸업 후
메이드 시절의 저축을 털어 각국을 방랑하고 있다.

가끔 일본에 돌아와서는
독립해서 혼자 사는 후지와라네 집에서 할 일도 없이 빈둥거린다.
처음에는 카구야네 집에 들어가기도 했지만
빈둥거리고 있으면 사흘 만에 쫓겨나기 때문에
결국 조르면 들어주고 마는 후지와라네 집에 들어가 머물게 되었다.

노동으로 소비된 청춘을 되찾기 위해
아직도 모라토리엄이 한창이며
있는 힘껏 놀기에 몰두하는 그녀를 주위에서는
'이제 슬슬 위험하지 않나…?' 하는 시선으로 보고 있지만
본인은 그걸 깨닫지 못한다.

이대로 FIRE하며 종지부를 찍을 생각이었지만
여행도 슬슬 질리고,
의외로 일을 하던 때가 더 충실했음을 느끼기 시작.
'슬슬 취업을 할까…?
하지만 일하는 건 귀찮고…. 그래도 심심한데.' 하는
루프를 반복 중.
현재 꽂힌 것은 후지와라네 집에서
뒹굴거리며 온종일 유튜브 쇼츠를 보는 것.

청춘을 갖고 싶어 했던 그녀는
결과적으로 누구보다도 오랜 청춘을 현재 진행형으로 누리고 있다.

카구야 님은 고백받고 싶어
~천재들의 연애 두뇌전~

아,
고마노스케.

제277화

내 동료는 너뿐이구나….
후후,
우리 서무 할래?

새롭게 학생회장에 취임한 이이노 미코는

—현재 최대의 고난에 직면해 있었다.

이이노 미코

학생회
임원
권유다!

현재 학생회 멤버
〈학생회장〉
이이노 미코
〈서무〉
고마노스케

합계 1명
(+1마리)

제277화
이이노 미코와 이시가미 유우의 최종회 전편

보통은
전 기수에서
활동했던
사람이나
지원 연설을
한 자,
낙선자,
또는
친구 등을
영입하며
학생회장에
당선될 정도로
인망이
있는 자라면
이런저런
사람으로
자리는
메워지게
마련이다….
생회장
부회장
서기
이이노 미코

그러나!

지원 연설을 한
코바는
와 주지 않고….

낙선자
TG부 부비
올려 줘.
콜라
줄게.
친구
내가
학생회?
난 성격에
안 맞아.

다른 친구
없니?
윽….
이 상황에서
대두되는
이이노의 좁은
교우 관계
문제!

지금까지의
교우 관계를
후회해도 늦었다.
뭐가 됐든
멤버 모집에
힘을 써야만 하는
상황이 됐다.
나 홀로
학생회라니,
슈치인 학원
창립 이래
처음 있는
일이야…!

무슨 수를
써야지!

!

어머….
계속하지 않을 거예요?

솔직히…
고민 중이에요.

회장이 권유해서 어쩌다가 학생회에 들어와…

지금까지 그냥저냥 하기는 했지만,

그건

제가 있을 자리가 없어서,

회장과 놀고 싶어서 해 온 거나 마찬가지니까요.

회장이 해외로 간 지금이라면
다른 선택지도 있을지 모르죠.
게다가
시노미야 선배와 한
학교 시험 상위권에 오른다는 약속도
아직 못 지켰으니,
한동안은 공부에 전념하겠습니다.
…….
그것은 이이노에게 상상도 못 하던 일이었다.

자신이
학생회장에
취임하면

이시가미가
옆에서
도와줄 거라고

어느
순간부터

그렇게
믿고 있었던
것이다.

…대체
왜?
나밖에 없는
학생회에는
관심이
없다는 거야…?

회장,
회장 타령만
하고….
지금 회장은
나라고…!!

나를 만나고 싶어 해야 하잖아!!

우우우우우웅

하긴 나야 뭐, 어느 쪽이든 상관없지만!
우ㅡ

실제로 이시가미는 숫자 다루는 일에 능하고
영입하고 싶은 전력이지만,
흥!

그래도….

이시
가미!
학생회에
들어와!

흠—.
지금까지
그렇게 나를
깔아뭉개던
네가…?

좀 더 성의 있게
부탁해 보지
그래?
윽!

안 돼…!
평소처럼 말하면
또 싸우게
될 거야.

이시가미가
공부에 전념하고
싶어 하는 의사를
내 이기심으로
꺾으려는 거라고….

좀 더
솔직하게…

진심으로….

나는
이시가미가
필요해!

고백
이잖아!!

아—
진짜
어쩌면
좋지?!

이시가미,
저 1학년….
아무래도 신발을 누가 숨긴 모양인데.

아아, 재는…
올해 특별 입학생이네.

하여간 별 못난 짓을 하고 있어.
내가 잠깐….
괜찮아,
나만 가도 돼.

이런 일은
그냥 도와준다고
되는 게 아니야.
우선
피해자의 멘탈부터
챙겨 줘야지.

학교 폭력 문제가
표면화되지 않는
가장 큰 이유는
피해자에게도
자존심이
있기
때문이야.
자기가
학교 폭력을
당한다는 사실을
되도록
알리고 싶지
않은 거지.

여성인
이이노에게
도움을 받으면
그의 자존심에
흠집이 생겨.

히어로처럼
멋지게 나타나서
해결해 봐야
마음까지
구할 수는 없어.

일단
내게 맡겨 봐.

이이노.
저 애 주위를
조사해 보자.

어떤 경위로
불화가 일어났는지는
몰라도…
뭔가 도움이
될지도 몰라.

…….

카구야 님은 고백받고 싶어 -천재들의 연애 두뇌전-
28권 특별부록 NOT FOR SALE
KAGUYA-SAMA WA KOKURASETAI
~TENSAITACHI NO REN'AI ZUNO SEN~
©2015 by Aka Akasaka/ SHUEISHA Inc.

알지도 못하는 사람에게 이렇게까지 할 수 있는 사람은 거의 없어.
그렇지도 않을걸.
좋은 사람은 은근히 있다는 걸
나는 알아.
그런 사람들에게
나는 많은 도움을 받아 왔어.
좋은 사람이야.
지금에 와서야 깨닫는 것도 많지만.
또 같이 놀자!

이번에는

내 차례인 거지.

…….

알았어.
나도 도울게.
우선 중등부 선생님에게 물어볼게.
나도 1학년 중에 발이 넓은 녀석한테 알아볼게.

저,
이시가미.
학생회에
들어와 줘.

학생회에는
이시가미가
필요….

아니,
이게
아니라.

내게는
이시가미가 필요
…해.

이이노 미코

이이노 미코

- ◆슈치인 학원 고등부 2학년
- ◆학생회…학생회장
- ◆신체적 특징…작은 키
- ◆숨은 히로인

마음이 고독한 탓에 부모와의 유대를 '정의' 속에서 찾고
옳은 일에 집착하던 소녀도 조금은 성장했다.
올바르기 위해 올바름을 행사하는
그런 그녀가 안고 있던 '유아적인 정의'는
조금이나마 '인간을 위한 정의'로 바뀌어 간다.

그것은 시노미야 카구야의 더티함에 영향을 받아서일지도 모른다.
시로가네 미유키의 한결같음에.
후지와라 치카의 인간애에.
코야스 츠바메의 자애에.
오사라기 코바치와의 싸움 속에서.
이시가미 유우의 변해 가는 모습에.

여러 사람들을 접하면서
자기가 해야 할 일을 찾아냈다.
분명 앞으로도 찾아갈 것이다.

그녀는 아직 미완성이다.
그래도 앞으로 나아갈 것이다.

슈테라 꽃을 꼭 움켜쥐고.

제278화
이이노 미코와 이시가미 유우의 최종회 후편

나는
이시가미가
필요해.

…그 말은
혹시
이이노는
나를….

부회장이
돼서
내 옆에
있어 줘…!

용기를
쥐어짜낸
이이노에게
전혀
싫지만은 않은
반응을 보인
이시가미.
당장에라도
관계가
변할 것 같은
영원과도 같은
순간이 지나…
그리고ㅡ.

반년이
지나려 하고
있었다!
그동안!
딱히
아무 일도
없었다!!

부회장—!
부회장—!
학생회
새 학기 예산안 체크해 주세요~~.
서기 토오노 미타마
126
아우!
어어? 괜찮아, 토오노 서기?
좀 차분하게 다녀.
잠시 쉬는 게 어때?
부회장 이시가미 유우
괜찮아요오.

쉴 시간이
어디 있어?
일이
얼마나 많은데!
이 산더미를
오늘 안에
해치워야
한다고!
전산화
필요
학생회장
이이노
미코
히이잉
~~.
제69기
학생회!

전 학생회가
그 카리스마를
바탕으로
여러 개혁을
추진하면서
미래를 위한
씨앗을 남긴
'희망의
학생회'
라면,

절대적인
인기를
자랑하던
전 학생회에서
회계 감사
이이노 미코와
회계
이시가미 유우가
남았다.

현 학생회는
압도적인 사무 속도로
그 씨앗을 발아시키는
'실현의 학생회'로
평가받고 있다.
타닥
타닥
타닥
타닥
타닥
타닥
서무
고마노스케

전 학생회는
PC를 다룰 줄
아는 사람이
적었으니까.
슬랙
도입
사무용
앱
페이퍼
리스
우리 대부터는
전면 디지털화와
궁극의 효율화를
이루고 말겠어…!
디지털
계약서
매크로
스프레드
시트
원격

활동 실적이
유명무실화한
위원회에 일을
분담하고
학생회가 감수.
다음 해 이후에도
지속가능한
업무 시스템 구축을
최우선으로….

변해 가는
슈치인을 누구나
피부로 느끼고

그 기백과
어우러져

신입생을
중심으로
존경과
경외의 마음을
모으게 되었다.

이이노
회장….

성적도
학년 1등이고
유능한 전문직
여성 같아서
멋져.

맞아—♡

회계 감사
카네가에
코가네

회계
타카노
타이코쿠
부회장도
쿨하고
멋지잖아.
성적도
학년
8등이고.
공부와
수많은 업무를
동시에
해내다니…
머릿속이
어떻게
생긴 걸까….

어떻게
생겼느냐면
이런 식이다.

하~~
귀찮아~~.
얼른 집에 가서
게임이나
하고 싶어~~.

왜 그때
부회장을
덜컥 맡아
버렸을까….

아무리 업무를
효율화해도
시간만 나면
이이노가 일거리를
밀어 넣으니
도무지 쉴 수가 없네.

좀 더 느긋하게
할 수 있으면…

이이노와
나란히 앉아
이야기도
나눌 텐데….

후우….

일이 없으면 저 녀석은 반드시 집에 가고 말 거야!

어떻게든 일을 시켜야 해!

재가 일을 척척 해치우니까 새 일거리를 만들 수가 없잖아!
반년 가까이 지난 지금도 전력으로 엇갈리고 있다.

저 둘이
참 좋지~?
꺅
꺅
굳이
눈을 보지
않아도
호흡이
척척 맞고….
하지만
옛날엔 사이가
무지 나빴대.
와—
의외네!

이제는 저렇게
어울리는
한 쌍인데—.
꺅
꺅

132

나 참…
여기까지
다 들리잖아.
1학년들은
목소리도 크지.

이이노와
내가
사귄다고?
무슨 소릴
하는 거야.

하아….

이제 와서 재한테 고백했다가 차이기라도 하면 어쩌라고!!

이 학생회는 끝이라고!!

나는 선대가 남긴 이 학생회에서 해야 할 일도 많은데
그런 이성 문제에 얽힌 트러블로 공동체를 파괴하기라도 하면 시노미야 선배를 볼 낯이 없어.

나만큼 책임감이 있는 남자는 그런 저속한 감정에 휩쓸려 어리석은 선택을 하지 않는다.

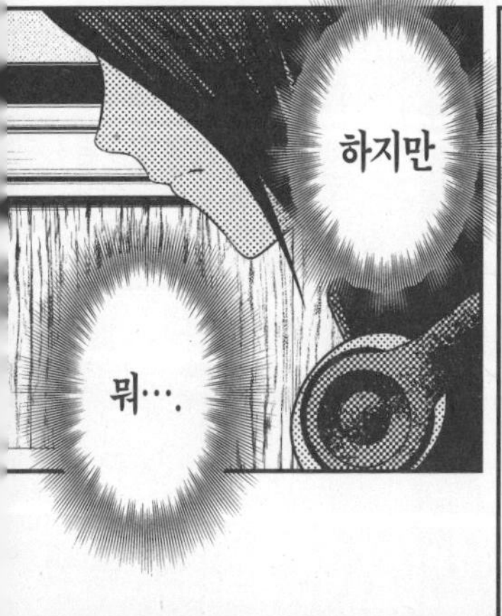
하지만
뭐….

그쪽이 고백을 한다면 얘기는 달라지지만!

기시감.

그럴 때는 뭐!
어떻게든 잘해 봐야지!!
이시가미의 스탠스는 왔다 갔다 했다.

꺅♡
꺅♡
재잘
재잘

참 1학년들은 정말…
못 하는 말이 없네….

재는
아무리 어필해도
한사코 고백을
안 한다니까?!

시간을 두면 둘수록 그런 분위기에서 멀어지고….
아 아 아
냉큼 고백이나 해 주면 일사천리일 텐데…!
아 아 아

이런 일은 남자가 딱 부러지게 나서서….
이 생각도 이 시대에는 맞지 않고….
이이노는 사회 통념에 민감했다.
하지만 이제 와서 내가 고백하면
그건 아무래도….

‘지는’ 거잖아!

연애는

전쟁!

저런,
저런….

아직은 시간이 더 걸리겠군요.
후후
후

그렇게 해서 이시가미 유우와 이이노 미코의 이야기는 막을 내리고.
아,
그러고 보니.

얼마 전에
영화
페어 티켓이
당첨됐는데요
~~.
당첨 안내
!
아—
이이노….
……….
이시가미….

새 학생회
멤버는

두 사람이
하찮은 밀당으로
우수한 두뇌를
낭비한다는
사실을

아직
알아차리지
못했다!

ㅋ
ㅋ
ㅋ
ㅋ
ㅋ
ㅋ
ㅋ
ㅋ

어떻게 해서든
이 녀석에게
고백을
받아 내야지!

학생회
전 학생회의
인수인계가
필요 없을 부분까지
이어받은 두 사람은
이제부터

다음
이야기를
자아낼
것이다.

이시가미 유우

이시가미 유우

- ◆슈치인 학원 고등부 2학년
- ◆학생회…학생회 부회장
- ◆신체적 특징…음침 앞머리
- ◆본 작품의 숨은 주인공

걸핏하면 말하던 그의 '죽고 싶어'라는 입버릇도
마침내 들리지 않게 되었다.

질척대는 연애나 과거의 경험, 기말고사의 잔혹함.
숨은 주인공으로서 그가 보아 온 청춘의 어두운 부분이며
시노미야와 시로가네와는 다른 고통과 좌절의 이야기였다.

그 가슴에 품은 '정의'는
이이노와는 조금 다른, 아마 모두가 웃을 수 있기 위한 '상냥한 정의'였다.

남들에게 이해받기 어려울지 모르고, 이해받을 생각도 없다.
그래도 그것은 누군가 지켜보고 있다.
본인은 미처 모르더라도.

그가 많은 여성들의 호감을 사는 것은 필연이다.
그것이 사랑이어도, 혹은 그렇지 않더라도.

그가 '유우(優)'라는 이름 그대로 '상냥함'을 계속 갖고 있는 한
고생과 행복은 비슷한 정도로 찾아올 것이다.

그가 눈을 뜰 날은 머지않았다.

카구야 님은 고백받고 싶어
~천재들의 연애 두뇌전~

제279화
후지와라 치카의 최종회

무슨 일인가요?
당신답지 않게
시무룩한
얼굴을 하고.
카구야 양….

뭐라고
할까,
단적으로 말해
남자에게
고백을 받아서요.
어머.

이거….
그러고 보니 문화제 때도 고백받는 모습을 목격한 적이 있었지.
애는 꽤 인기가 있네.
!

하긴 내면을 도외시한다면 남자의 시각으로는 매력적으로 보일 테니까.

하지만 후지와라 양은 남자분과 사귈 생각은 없지 않았나요?
거절하기 어려운 상대라면 제가 말을 전해 줄 수도 있어요.
아니, 괜찮아요.

뭐라고 할까.
그,

이번에는
조금

진지하게
생각해 볼까 해서.

네…?
그게
무슨…?

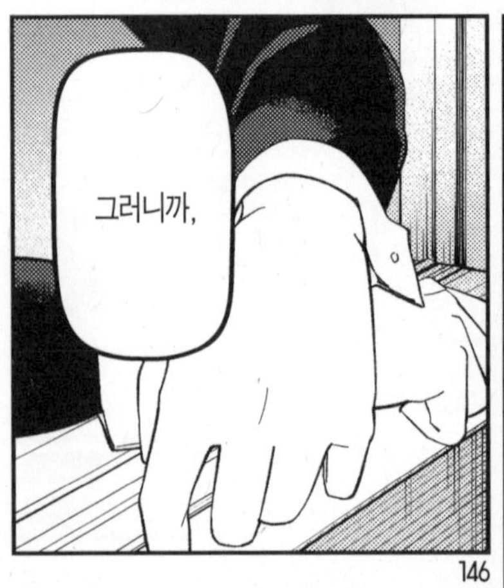
그러니까,

이번 상대는
결혼도
가능하겠다고
생각한 사람이라고요.

어….

어어….

당신에게도 보통 사람 수준의 연애 감정 같은 것이 있었어요?!
당연히 있죠?!

연애 감정!

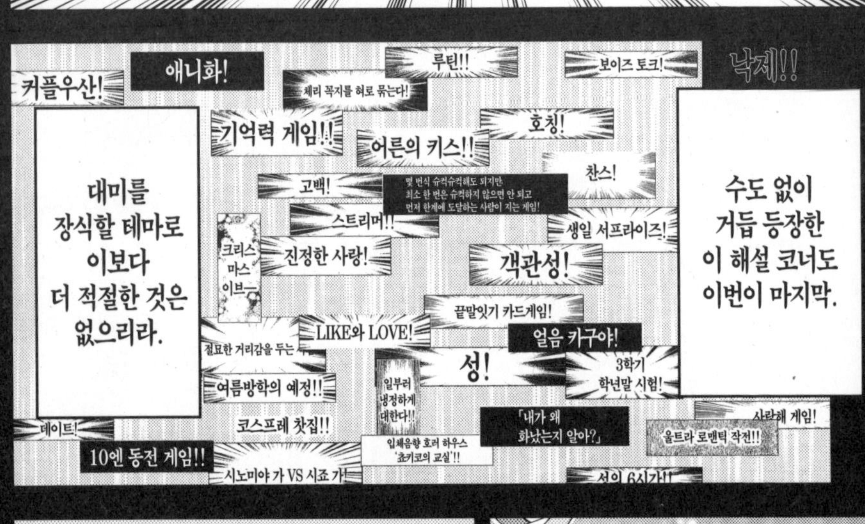

낙제!!
수도 없이 거듭 등장한 이 해설 코너도 이번이 마지막.
보이즈 토크!
루틴!!
체리 꼭지를 혀로 묶는다!
애니화!
커플우산!
호칭!
어른의 키스!!
기억력 게임!!
찬스!
몇 번씩 슈컥슈컥해도 되지만 최소 한 번은 슈컥하지 않으면 안 되고 먼저 한계에 도달하는 사람이 지는 게임!
고백!
생일 서프라이즈!
스트리머!!
객관성!
진정한 사랑!
크리스마스 이브—
끝말잇기 카드게임!
얼음 카구야!
LIKE와 LOVE!
절묘한 거리감을 두는
3학기 학년말 시험!
성!
일부러 냉정하게 대한다!!
여름방학의 예정!!
사랑해 게임!
울트라 로맨틱 작전!!
「내가 왜 화났는지 알아?」
입체음향 호러 하우스 '쵸키코의 교실'!!
코스프레 찻집!!
데이트!
10엔 동전 게임!!
시노미야 가 VS 시죠 가!
대미를 장식할 테마로 이보다 더 적절한 것은 없으리라.

대부분의 생물이 집단생활이라는 형태를 취하고

각각이 유전자 정보로부터 다종다양한 개성이나 특성을 가진다.

그것은 종으로서 취하는 생존 전략이며

정신없이 변하는 환경이나 시대에 적응하기 위한 유연성이기도 하다.

즉
유전자 교환을
하기 위해
사람과 사람은
서로 끌린다.
하지만
그것만이
아니다.
사람은 선택지
하나로도
크게 달라지는
생물이다.
유전자와는
관련 없는
부분에서
손에 넣은
뭔가에
사람이
끌리는
경우도
있는 것이다.
연애는
설계도대로만
움직이지는
않는 법이다!
저도
인간이에요.
연애 한두 번은
해 보고 싶은
나이라고요.

모두들 저를 **티 없이 맑은 청순파 아이돌**로 여기는 모양이니 충격이겠지만.

그렇게 여긴 적 없거든요.

환상과 현실은 다르죠, 미안해요.

상대…
상대는 누구죠?

호라이 타마키라는 사람인데….
!
호라이라면…
그 피아니스트…?
네네, 맞아요.

지금 빈에서 돌아와 있거든요.
원래 콩쿠르 같은 데서 만난 적도 있고…
귀국한 김에 같이 식사를 했는데,

결혼을 전제로 사귀고 싶다며
함께 그쪽에 가서 살자고.
~~~!

사실 그의 올곧은 피아노는 무척 좋아하고 존경하기도 해요.

언제나 친절하게 대해 주고 이야기도 잘 통하고

집안은 저희 집보다 훨씬 유복하고

얼굴도 그쪽에선 동양의 보석이라고 불릴 정도라….
~~~

어째서
…
그런….

어째서
그렇게
완벽한 인간이
후지와라
양을?!

카구야 양
생각은
어때요?
아니,
그야
물론….

그런 기적처럼
조건
좋은 사람을
놓칠 수야
없지.
무슨 일이
있어도
사귀어야 해!

······.
그래도···.

몰라.
네—?

좋거나 나쁘다고 말해 주면 안 돼요—?
그냥, 알아서 마음대로 하면 되잖아.

아—
그렇단 말이죠—.
카구야 양이 그렇게 말한다면 그러지, 뭐—!

그럼 **지난번에 한 얘기는 OK**라고 타마 군에게 메시지를….

에헷~

왜 그러세요
~~?
뭐죠,
이 손은~?

싫은
거예요?
제가
누군가의 것이
되어 버리는 게
싫어요?
그런 건
아니지만.

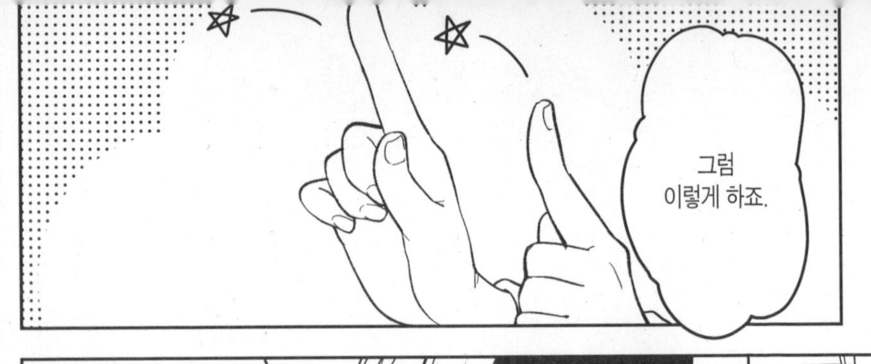
그럼
이렇게 하죠.

저를 좋아한다고
말하면
이 메시지는
안 보낼게요!
뭐어?!
에헷

…진짜!

나는
후지와라 양이
좋아.
당신이
제일 좋아하는
사람은
하
나였으면
좋겠어.
네!
그런 건
물론
알고 있죠!

이제
잘 알겠죠?
카구야 양이
회장과
사귀었을 때
제가 어떤
마음이었는지!

그것과
이건….
똑같아요!
하지만
이걸로
좀 후련해졌네요.

메시지를 삭제했습니다

우리 어디
놀러 갈래요,
카구야 양?

이렇게
해서

후지와라
치카의
이야기는
막을 내린다.

메시지는
안 보내도
괜찮아요?
없던 일로
해요!
사실 결혼해서
빈에 살고
그러는 건
저한테는 너무
갑작스럽고요.
저는 좀 더
과정을 즐길 수 있는
연애를 하고 싶어요.
그녀를 향하는
'좋아함'에
남녀의
벽은 없고
그야말로
회장과
카구야 양처럼
멀리
빙빙 돌아가는
연애!
누구에게나
늘 웃는
얼굴로
대하고,
우우우웅

남을
웃게 해 온
후지와라
치카는
그리고…
솔직히 말하면
저는 스모 선수와
결혼하는 게
꿈이거든요!
언제나 모두의
히로인이었다.

후지와라 치카

후지와라 치카

◆슈치인 학원 고등부 3학년
◆학생회…전 서기
◆신체적 특징… 아방살랑 거유
◆본 작품의 히로인

본 작품의 히로인.
그렇다, 히로인이다.

결국 누구와도 사귀지 않고,
최후의 최후에 등장한 인연이 생긴 남자에게도 가지 않고,
자기 길을 있는 그대로 달려온 그녀는 모두의 히로인이었다.

현명함은 행복이 아니다.
사람은 조금 어리석은 정도가 가장 행복해질 수 있다.
그것을 체현한 그녀는 언제나 어리석으며
주위를 행복하게 해 주었다.

피아노 천재면서 그 길을 버리고
평범한 소녀로 즐겁게 살아가기를 택한 그녀는
시노미야 카구야에게 길을 보여 주게 되었다.

거듭되는 특훈에도 굴하지 않고
어설픔을 드러내는 시로가네에게 진지하게 마주해 온 것은
분명 그에게 큰 힘을 주었을 것이다.

이시가미와의 옥신각신은 시끌벅적한 일상을 만들고
이이노의 가치관을 번번이 부숴 버리며

어떤 때라도 웃음을 잃지 않았던 그녀는
역시 모두의 히로인이었다.

카구야 님은 고백받고 싶어
~천재들의 연애 두뇌전~

미안,
시차 적응도
덜 됐을 텐데
불러내서.
아니,
상관없어.
어차피
내일까진
쉬니까.
COFFEE
카페
내일…
드디어
졸업식
이구나.
제280화
천재들의
졸업

이따가
공주님하고는
안 만나?
아니,
시노미야
한테는
귀국한다는
말도
안 했어.
아니,
왜…?

졸업식을 마치고
나올 때
숨어 있다가
놀라게
해 주려고.
들썩
들썩
넌 그런 서프라이즈
참 좋아한다니까….

아마 공주님은
1초라도
더 같이 있어 주는 걸
기뻐할 텐데.
시노미야와의
시간은 앞으로
얼마든지 있어.

이제 와서
조바심 낼 건
없지.

…….
그러고 보니
결국 못 하고 넘어갔구나.
기말고사 승부.
아….
네가 쭉 벼르고 별렀잖아.
1학기 기말은 시노미야 집안의 소동으로 그럴 겨를이 없었고
2학기 기말에는 바다 건너에 있었으니까.
시험 내용은 데이터로 넣어 뒀어.

주요
5과목으로
승부한다….
이건
어때?
…….
흠.
그런 승부를
제안한다는 건
너도 어느 정도
공부하고
왔다는 뜻이지?
1등을 차지할
작정으로.

달칵
미안하지만
나는 이제 성적으로 1등을 차지하는 데 연연하지 않아.
그보다도
중요한 걸 발견했으니까.
…….
그래?

네가 부럽다.
시로가네.
갑자기 뭐냐?
나는 네가 더 부러운데.
말도 안 될 만큼 엄청난 부잣집에서 태어난 데다가 전국 수석.
축구도 전국 우승, 얼굴도 잘생겼고 인망도 두텁지.

누구도 의심하지 않는 천재.
그런데 뭘 또 바라냐?
저, 미유키.
'천재'라는 게 뭘까?

169

시노미야 카구야 곁에 있으면서

무슨 생각이 들었어?

그녀 곁에 있으면서

천재라는 것이 행복하다고,

지금도 진심으로 그렇게 생각해?

글쎄.

저쪽 대학에 가 보고 알았어.

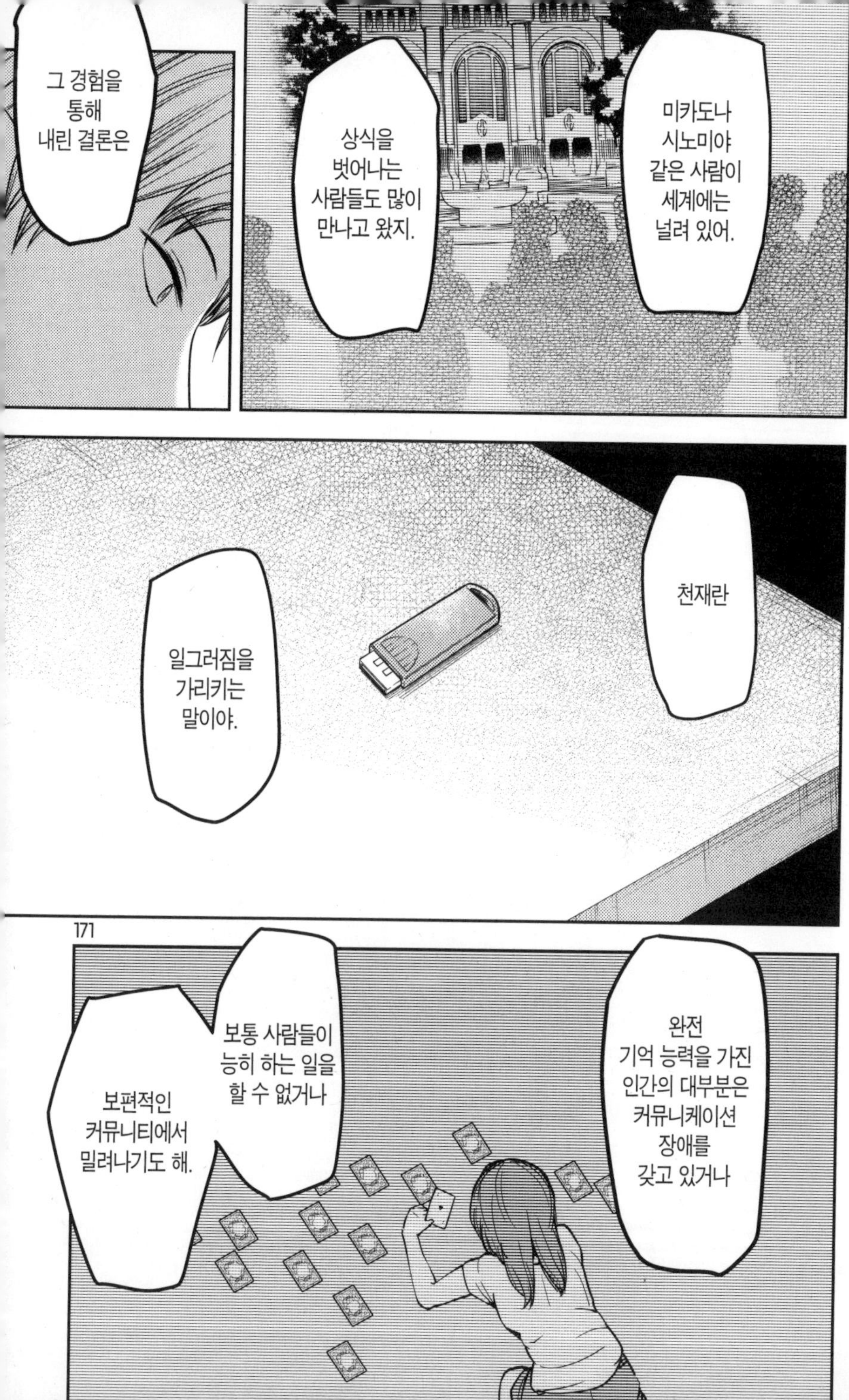
미카도나 시노미야 같은 사람이 세계에는 널려 있어.
상식을 벗어나는 사람들도 많이 만나고 왔지.
그 경험을 통해 내린 결론은
천재란
일그러짐을 가리키는 말이야.
완전 기억 능력을 가진 인간의 대부분은 커뮤니케이션 장애를 갖고 있거나
보통 사람들이 능히 하는 일을 할 수 없거나
보편적인 커뮤니티에서 밀려나기도 해.

뛰어난 재능만큼 부족하기도 한 것이 인간이야.
완벽한 인간이란 없어.
172
그러니까 더욱
너는 지금도 필사적으로 인간인 척을 하고 있겠지.
'현명하고 상냥하며 운동 신경도 좋은'
'하지만 조금 허술한 데가 있어서 친해지기 쉬운 시죠 미카도의 가면'을 쓰고
사회에서 밀려나지 않도록 노력하고 있어.

주위에서 기대를 해 주니까.
기대에 부응하고 싶은 것뿐이야.
그게 진짜 자신이 아니라고 해도.
짐이 무겁다면 그만둬도 돼.
천재니 뭐니,
어차피 그런 건 누구에게나 있는 어떤 '개성' 중 하나지.
유용하다면 쓰면 되고
필요 없다면 덮든 숨기든 자유롭게 하면 돼.
얽매일 필요는 없는 거야.

실제로
시노미야는
자유롭게 했어.
그 녀석은
말했지.

강한 인간은
약한 인간의 마음을
이해 못하니까

마음을 이해하고
손을 뻗지 않으면

진정한 의미로
다가설 수 없다고.

딸깍
시노미야
카구야가
원한
행복은
사람들과의
교류 속에
있었어.

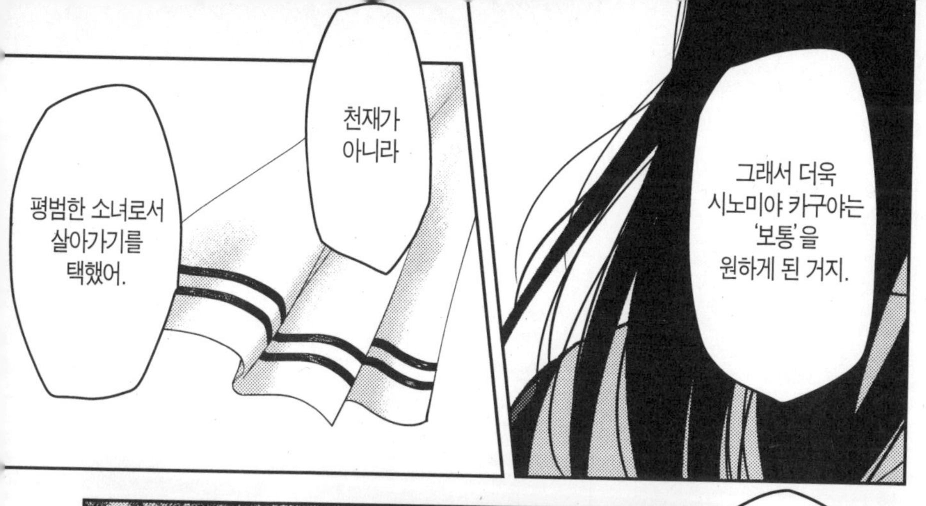
그래서 더욱
시노미야 카구야는
'보통'을
원하게 된 거지.
천재가
아니라
평범한 소녀로서
살아가기를
택했어.

요즘 시노미야는
프로 카메라맨이
되려고
사진 연습을 하는데
겉치레로도
잘 찍는다고는
못 하겠더라.

다양한 재능을
타고나서
뭐든지 잘 해내던
시노미야가 말이야.
굳이 재능이
없는 길을
택한 거야.
그걸 어리석은
선택이라고
하는 사람은
많겠지만.

나는 그런 시노미야 카구야를 사랑해.
제길.
염장 지르네.

네가 어떤 길을 택할지는 자유야.

시노미야처럼 모두가 부러워하는 재능마저 깨끗이 버리고

스스로 정한 길을 선택할 수도 있어.

177

뭐…
뒤적 뒤적
나는 그 반대의 길을 택하겠지만.

주어진 재능을 더욱더 살리고
사업을 성공시켜서
힘으로 온 세상 사람들을 행복하게 하고 말겠어.

후세 사람들이 나를
'세기의 대천재'라고 부르게 만들겠어.

어, 그 종이는 뭐냐…?
뭐긴, 아까 말한 기말고사 답안이지.

기습으로 승부를 걸면 이길 줄 알았겠지만 그런 수에는 안 넘어가지.
이 정도 움직임은 이미 대책을 세웠어.
야, 너 진짜….
턱

아까는 1등에 관심 없다더니.
상대가 너라면 얘기가 다르지.
네게 공부로 지는 것만큼은 남자의 자존심이 허락 못 해.
시험 대책을 철저히 세우고 임했다고.
여자를 놓고 다투다 진 상대에게 한 방 먹여 주고 싶었냐…?
시노미야에 대한 네 집착은 네 누나와 동급이라는 것도 안다고….
시노미야 앞에서 네게 지는 모습은 절대 보여 주지 않을 거다…?

그래그래, 졌다.
세기의 대천재님의 집념에는 못 당하겠네….
내가 한수 위였다는 거다, 시죠 미카도!
으아— 그래, 좋겠다….

으하하하하

너 말이야!

어림없어요 회장.

한 수 위인 건

바로 나니까.

7년 동안 고마웠습니다
어딘가에서 또!

카구야 님은 고백받고 싶어
~천재들의 연애 두뇌전~

선배님들,

졸업을
진심으로
축하드립니다.

졸업식

최종화
굿바이 슈치인!

월반으로
진학하고

나는 이 슈치인을
중퇴한다는 선택을
하지 않을 수 없었다.

그 선택에
후회는 없고

슈치인 학원 고등과

졸업식

이렇게
교문 밖에서
모두의 졸업을
기다리는 것도

나쁘지는
않다.

투
투
투
정말 그걸로 만족하나?
자기도 참석할 예정이었던 사랑하는 모교의 졸업식,
그리고 그 친구들과
함께 졸업하고 싶지 않았어?

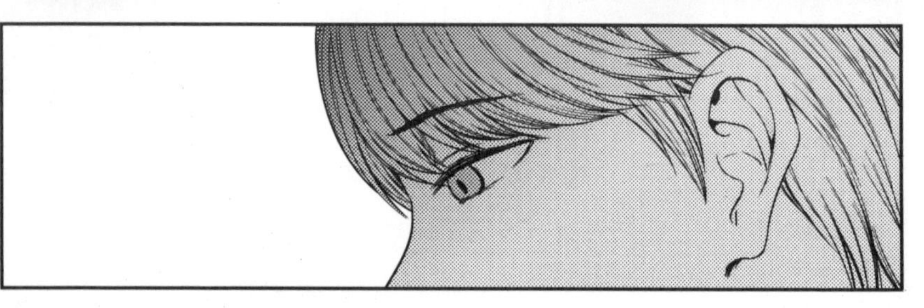

말도 안 되는 소리 마.
지금 나는 그냥 외부인이고
들어가려 해도 경비원이 막을 거야.

후후,
그렇게 나올 줄 알고….
졸
뒤적

졸업생의 보호자는 들어갈 수 있어.
구석에서 지켜보는 정도는 문제없을 거다.
안 되면 냉큼 뛰어나오면 돼.

살금…
살금…

졸업
하해요

야,
시로가네.
깜짝

…오오바야시
선생님.
부릅
이리 와.

여기서는
잘 보일 거다.
…….
그래도
됩니까?

이 학교를 위해
몸을 갈아 넣으며
일한 너를
쫓아낼 만큼
교사들도
꽉 막히진
않았어.

봐라.

시노미야
카구야.

위 학생은
이 학교에서
많은 것을
배우고

훌륭하게
성장했습니다.

이에 졸업을
증명합니다.
짝
짝
짝
짝
짝
짝
짝
짝

소곤
소곤

졸업증서
시노미야 카구야 님

학생회
하여간
회장은….

놀라게 해 줄
생각이었는데.
충분히
놀랐어요.

후후후

……
많은 일이 있었지.
네,
참 많은 일이 있었죠.
다 같이 게임도 하고,
시답잖은 입씨름도 하고.

언제나 이이노가 화를 내면
이시가미가 라인에 답을 늦게 해요!
척
사소한 걸 갖고 일일이 걸고 넘어지지 마.
난 이시가미의 그런 점이 진짜 싫어.
내가 게임한다면 바로 혼내면서 자긴 되고?
이 SNS 중독 스마트폰 세대!
아-!
이시가미가 안 해도 될 말로 기름을 붓고
하지만 먼저 바보라고 한 건 이 녀석이에요!!
후지와라 양이 대개 엉망진창으로 휘젓고….
끝말잇기 카드게임으로 우열을 가리는 거예요!
또 시작이네.
저와 여러분이 「사랑해 게임」을 하는 거예요!

회장이
그걸 야단치고.
시노미야는
그걸 보며
웃곤 했지.
후후.
혹시
모르세요?
사람은
즐거우면
웃는답니다.
이 세계에서
이 장소만은

언제나
웃음이 나올 만큼
즐거웠어요.

학생회의
모두가

참
좋았으니까.

물론 회장이
제일 좋지만요.
안 그러면
곤란해.

이 학교에서
당신을 만나 다행이었어요.
…….
나도야, 시노미야.

하지만 진짜는 이제부터 예요!

올 가을부터는 저도 당당한 스탠포드 학생이에요!

미국에 갈 준비도 진행하고 있고요.

사귀기 시작한 지 1년이 지나,

'고백받고 싶다'는 마음은
그러면….
그래, 생각하고 있어.
다음 단계로 넘어가고 있었다!

어떻게든 회장에게 '프러포즈'를 받아 내야지!

역시 '결혼'은 생활이 안정되어 시노미야 집안에 당당히 드나들 수 있을 정도가 될…

40세 정도를 목표로…!!

하긴 시노미야가 먼저 프러포즈를 한다면 얘기는 달라지지만….
언젠가 두 사람은 새로운 난제에 도전하게 되겠지만
그것은 또 다른 이야기.

다시 한번 졸업 축하해, 시노미야.
네, 회장도.
아니, 난 중퇴니까….
그건 형식상이잖아요?

중요한 것은 마음이에요.
당신과
우리의.
당신을 혼자 남기고 졸업하다니.
당신이 사랑한 이 학교가
과연 그걸 인정할까요?
같이 졸업하자고요.

여러분!
척
갑니다!
다
다
다
다
다
확
확

시로가네
회장!

졸업을
축하
합니다!
시로가네 회장 축 슈치인 졸업

졸업을 축하합니다

하하,
뭐냐, 이건….
모두의 마음이에요.
제안했더니 많이 모여 주시더군요.

모두들 회장과
졸업을 축하합니다
졸업을 축하합니다
함께 졸업하고 싶다며.

그렇게 기뻐요?
회장도 참.
사실은 **약간 소외감** 느끼고 있었죠?

어머나, 저런.

귀여우셔라.
후후
너 진짜….
무슨 서프라이즈를 기획했던 모양이지만
아무래도 이번엔 제가 한 수 위였나 보군요.

오늘 승패는
제 승리예요.
이렇게 해서
그들의
이야기는
막을 내린다.

울고
웃고

이겼다가
졌다가
피해자인데
당했군
다음 날.
오늘의
승패
시로가네의
승리

즐겁기만
하지는
않으며
때로는
혹독하게
상처입고
바보야!!
이런 곳에
있었네?
서로의
꿈을 위해

즐거워.
그래도 웃으며 보냈던 날들은
하하하 하하!!
아— 하하하 하하하 하하!!
하하하 하하!!
갈래!

말 그대로

청춘의 모든 것이었다.

회장!

짜
안
우리
뒤풀이
가야죠!
서두르지
않으면
시작해
버린다고요!

지금 회장은
전데요.
경사스러운
새 출발이라서
잔소리는
하지 않겠지만….

역 앞에
좋은 가게를
예약해 뒀어요.
모두 불렀으니
성대하게
파티를 하죠.

좋아!
갈까!
졸
업

굿바이,
슈치인!

졸업 여행은 어떻게 하죠?
산이 좋아요
아니, 바다지
그럼 게임으로 결정해요!
또 의견이 갈리네요…
늘 그렇다니까
변치 않는 좋은 점이죠♡
게임이 아니라 뭘 하려고
끝

시로가네 미유키

시로가네 미유키

- ◆스탠포드 대학 1학년
- ◆학생회…전 학생회장
- ◆신체적 특징…눈매가 사납다
- ◆본 작품의 주인공 중 한 사람

전국 모의고사 톱클래스인 괴물은 그 레이스에서 내려왔다.
어머니에게 버려진 트라우마나 뛰어난 성적이
자기 존재이유라는 생각에서 그는 졸업한 것이다.

하지만 그것은 우수함마저 그만두었다는 뜻은 아니다.
그의 모티베이션은 아직 건재하다.
그것은 다음 목표.
세계 평화라는 너무나 큰 미션을 향해 움직이기 시작했기 때문이다.
아버지 회사의 재건, 시노미야 가에 인정받는 남자가 되기.
그것들을 실현하기 위해 우수한 두뇌를 움직일 때
그에게 영감이 찾아왔다.
그것은 마치 문화제에서
수많은 하트 풍선이 밤하늘에 떠오르는 풍경을 상상했을 때처럼
그에게는 세계 평화를 위한 아이디어가, 길이 보인 것이다.

분명 혼자서는 실현할 수 없을 것이다.
하지만 시노미야 카구야가 옆에 있다면
지금까지 만난 친구들의 힘이나
대학에서 알게 된 사람들의 힘을 빌릴 수 있다면.

그의 모티베이션은 전에 없이 높아져 있었다.

자, 다음 스테이지로 나아가자. 전에 없이 어렵고 뜨거운 싸움이 될 것이다.
그것이 실현되면 당당하게 카구야에게 프러포즈해야지.
그때는 50세쯤 되어 있을지도 모르지만.

그들의 싸움은 아직도 계속된다.

카구야 님은 고백받고 싶어
~천재들의 연애 두뇌전~

아카사카 아카

STAFF

아오이 쿠지라

우치다 타쿠야

우도 츠바사

오카다 코야

도리상

나라하시 레이

카구야 님은 고백받고 싶어 ~천재들의 연애두뇌전~ 28 (완결)

학산코믹스
10244

카구야 님은 고백받고 싶어~천재들의 연애 두뇌전~ 28

2023년 9월 15일 초판인쇄
2023년 9월 25일 초판발행

저 자 : Aka Akasaka
역 자 : 서현아
발 행 인 : 정동훈
편 집 인 : 여영아
편 집 책 임 : 황정아 장명지
미 술 담 당 : 김환겸
발 행 처 : (주)학산문화사

서울특별시 동작구 상도로 282 학산빌딩
편 집 부 : 828-8988, 8842 FAX : 816-6471
영 업 부 : 828-8986
1995년 7월 1일 등록 제3-632호
http://www.haksanpub.co.kr

ISBN 979-11-411-0957-8 07650
ISBN 979-11-256-6891-6(세트)

값 6,000원

시노미야 카구야

시노미야 카구야

- ◆전 슈치인 학원 고등부
- ◆학생회…전 부회장
- ◆신체적 특징…미소녀
- ◆본 작품의 주인공 중 한 사람

4대 재벌 중 하나, 시노미야 그룹의 영애이며
뭐든지 시키면 상당한 수준으로 해내는 만능형 천재.
이 이야기는 그런 소녀가 '보통'을 꿈꾸는 이야기다.
좋은 환경을 타고났지만 남들과 함께 걷는 평범함을 잃고,
좋은 재능을 타고났지만 남들과 함께 울고 웃는 평범함을 모른 채
고독했던 소녀가 '평범한 소녀'가 되려는 이야기다.
타인과의 디스커뮤니케이션을 소재로
남자와 여자의 엇갈리는 마음을 그린 이야기다.
시노미야 카구야의 웃지 못할 검은 속내나 결점을, 실수를,
요란하게 웃어넘기는 이야기다.
누구나 안고 있는 일그러진 마음을 긍정하는 이야기다.
이 이야기를 통해 그녀는 어떤 인간이 되었을까.
그 답이 당신 안에 있기를 바란다.

마지막으로 그녀의 이야기를 소개하며 막을 내린다.

옛날 어느 곳에
차갑고 일그러진 고독한 공주님이 있었지만

사랑하는 사람과 맺어지고
소중한 친구들이 많이 생겨

잘 웃고 울고 화내고 다시 웃고
남을 돕고 남의 도움을 받으며

누군가와 손을 잡고 살아갈 수 있는
그런 행복한 소녀가 되었다고 합니다.

HAPPY END